La Fantástica Hannah

¡Miren todo lo que puedo hacer!

Publicado por Candlelighters Childhood Cancer Foundation

Historia de impresión: Noviembre 2002 Primera edición

ISBN 0-9724043-1-7

...because kids can't fight cancer alone!

Candlelighters ™
Childhood Cancer Foundation

Oficina Nacional
www.candlelighters.org
info@candlelighters.org • 1-800-366-2223

¡Hola!

Mi nombre es Hannah.

Tengo muchas citas con el doctor.

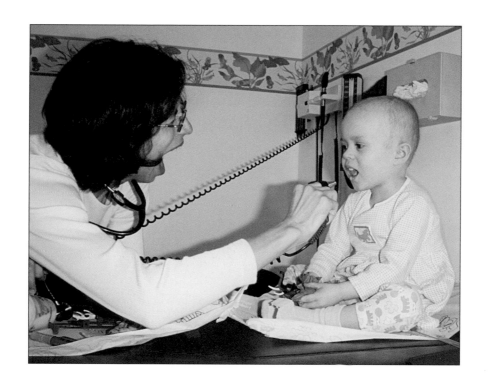

Puedo hacerme un gran examen general.
¡Mírenme como abro la boca de par
en par como un hipopótamo!

Mientras espero por el doctor, juego con los animalitos que estan en la camilla.

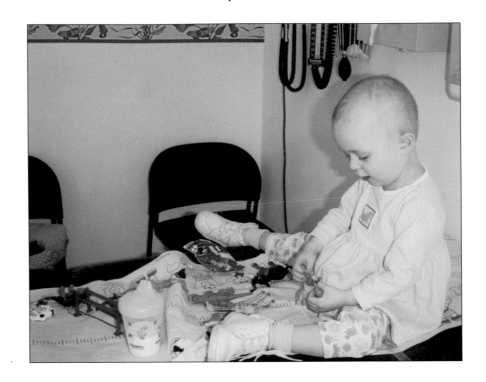

Me gustan los dinosaurios y los elefantes.

Siempre que vengo me pesan y me miden.

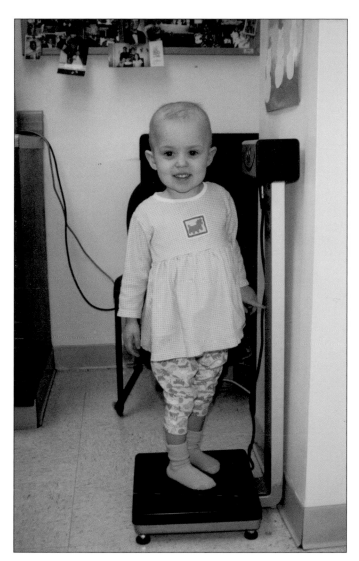

¿Habre
crecido
un poquito
hoy?

También juego en la sala de juegos.

Puedo examinar a Mami.

Esta es Margy, la "señora del juego."

Ella y yo nos divertimos mucho en el consultorio del doctor.

Algunos días no me siento bien. Esos días traigo a Minky y mi manta rosada al consultorio, por si me quiero acostar y acurrucar.

Minky y mi manta rosada hacen que los días duros sean mucho más fáciles.

Las enfermeras siempre me sacan sangre para examinar mis glòbulos rojos y blancos. No me duele nada.

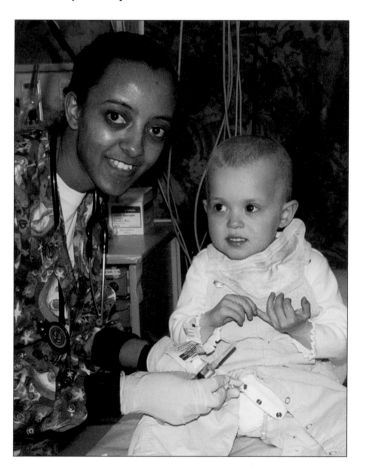

Todas las enfermeras son muy simpáticas.
Hoy, Rahel me va a atender.

Mis tubies son parte de mi línea central.

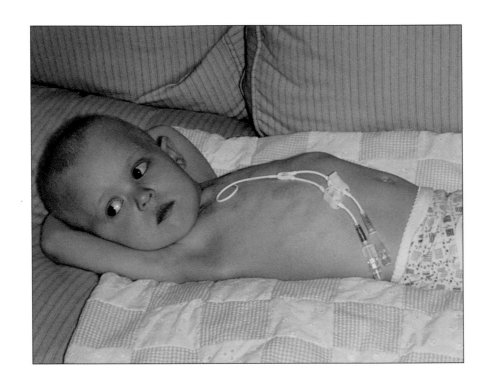

Las llamo Sr. Azul y Sra. Amarilla.

Todos los días despues de mi baño, Papi me cambia
el vendaje en mi línea central.

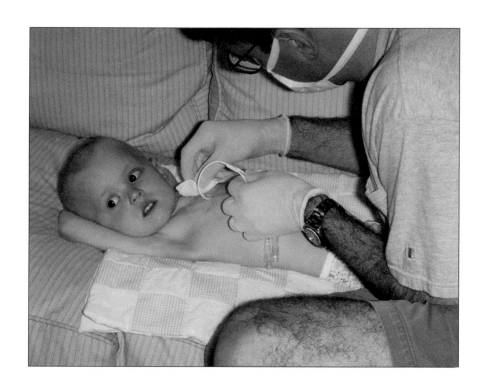

Yo me quedo muy quietecita mientras
él la limpia.

Ésta es Julia.

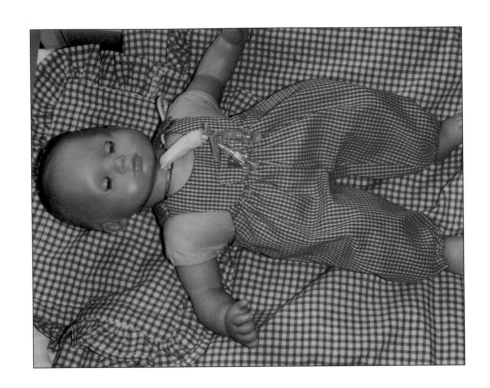

Ella tiene una línea central como yo.

Yo le limpio las tubies a Julia con un chorro de agua tal como me lo hacen Mami y Papi a mi.

Lo hacen una vez en la mañana y una vez antes de acostarme.

Ésta es Phoebe.

Ella es mi hermanita menor
pero no tiene una línea central.

Tengo que enseñarle a no tocar mi línea central.

El Sr. Azul y la Sra. Amarilla no son juguetes.

A veces me pasan la medicina por las tubies.

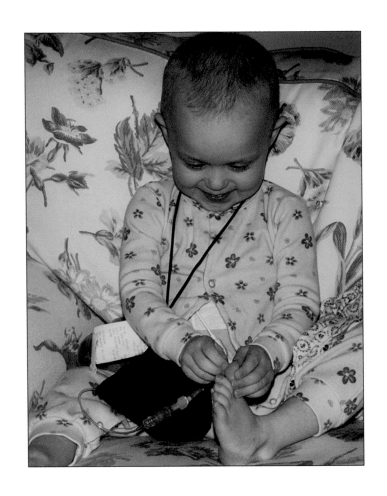

Cuando es así las cargo en mi bolsita negra.

También sé como tomar mis medicinas por boca.

A veces tienen un gusto rico y a veces malo. Si hago un buen trabajo, me darán un sticker que pegaré en mi tabla. ¡Cuando llene la tabla ganaré un premio!

También gano stickers cuando me ponen inyecciones. Mami me pone inyecciones en casa y las enfermeras en el consultorio.

Es duro, pero ellas lo hacen rápido, ¡1-2-3, y Hecho!

Otra manera de ganar stickers es quedándome quietecita mientras me hacen exámenes del corazón.

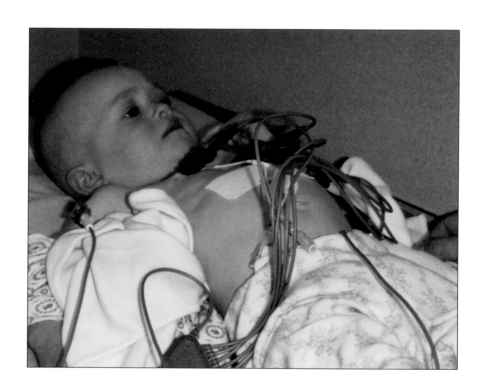

Mi mami llama a este estudio electrocardiograma. ¡Miren todos esos alambres! ¡Me porte muy bien!

Aquí estoy en el hospital, esperando
mi jugo soñoliento para hacerme
otra prueba.

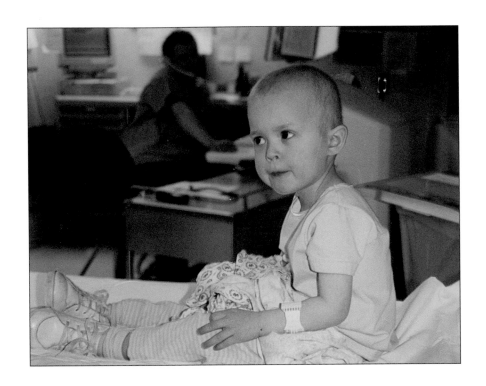

¡Hice un buen trabajo al no desayunar hoy!

Cuando permanezco en el hospital,
coloreo muchos cuadros.

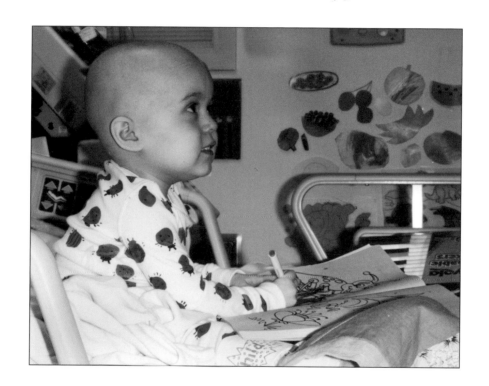

¡Colgamos mis ilustraciones en las paredes para
que mi habitación se vea fantástica!

Cuando mi conteo esta bajo, uso una máscara para que no se me pegen los gérmenes.

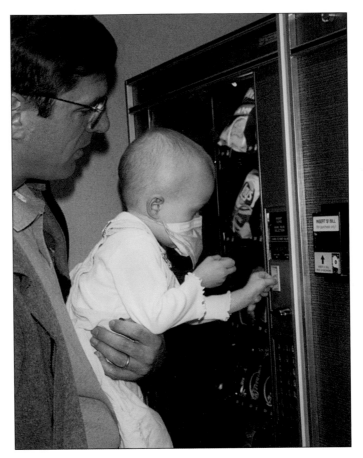

¡Ahora estoy en la máquinita de venta del hospital para comprar un dulce! ¿Que voy a escojer hoy?

A veces cuando la gente me visita, tambien
se ponen una máscara.

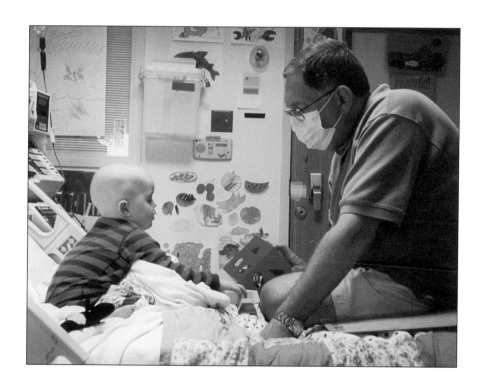

Me encanta cuando mis abuelos
vienen a vistarme.

Otra manera de no contagiarme es
lavándome las manos.

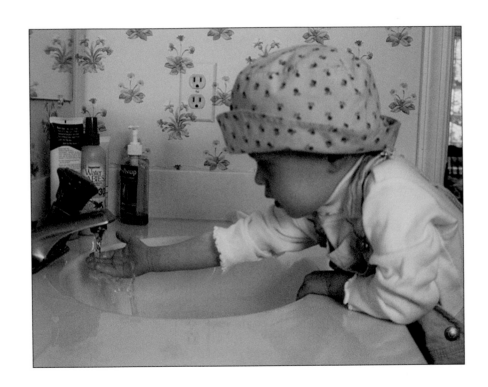

Mami y Papi me lo recuerdan siempre.

Estoy usando la Cinta Dorada para el cáncer de la niñez.

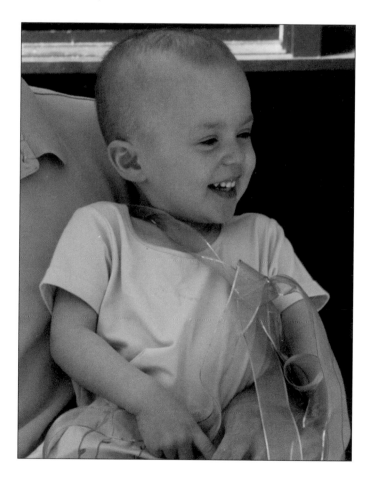

¿La usarás tú también?

¡Estoy orgullosa de todas las cosas fantásticas
que puedo hacer!

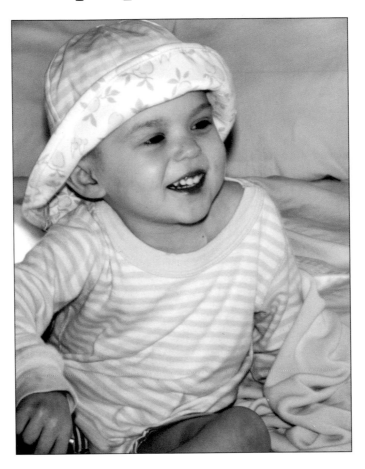

¿Estas tú orgulloso también?

La Fundación Candlelighters de Cancer de la Niñez fué establecida en el 1970. El grupo estaba compuesto de padres cuyos niños recibieron tratamiento para cancer. Se reunian regularmente en el sótano del Hospital de Niños, Washington, DC donde discutian el tratamiento de sus niños. Ellos descubieron que mientras compartian con otros padres se sentian mejor y podian ayudar mas a sus niños. Consecuentemente, se formaron otros capítulos locales en todos los Estados Unidos.

El nombre de la organización se origina de un proverbio chino, "Es mejor prender una vela que maldecir la obscuridad." La Oficina Nacional informa a los miembros de congreso sobre las necesidades especiales de los niños con cancer y publica libros para orientar a las familias de los niños con cancer. Hoy la Oficina Nacional de Candlelighters y 275 capítulos local continuan apoyando miles de familias anualmente.

Copias gratis de *La Fantástica Hannah: ¡Miren Todo lo que Puedo Hacer!* estan disponibles para niños de 1 a 5 años de edad que tienen cancer. Se puede obtener copias adicionales para miembros de la familia, amigos, empleados de salud, o bibliotecas por $7.95 de la Oficina Nacional de Candlelighters.